Table des matières

Pour Maya et Karen,
un duo dynamique.

Catalogage avant publication de la Bibliothèque nationale du Canada

Hughes, Susan, 1960-
  [Bunnies in trouble. Français]
Sauvons les bébés lièvres! / Susan Hughes ; illustrations de Heather
Graham ; texte français de Lucie Rochon-Landry.
(Animaux Secours ; 3)
Traduction de: Bunnies in trouble.
ISBN 0-439-96923-9

    1. Lapins–Romans pour la jeunesse. 2. Animaux–Sauvetage–Romans
pour la jeunesse. I. Graham, Heather, 1959- II. Rochon-Landry, Lucie III. Titre.
IV. Collection : Hughes, Susan, 1960- Animaux Secours ; 3.

PS8565.U42B8614 2004   jC813'.54   C2003-
906005-5

Édition publiée par les Éditions Scholastic, 175 Hillmount Road, Markham
(Ontario) L6C 1Z7 CANADA.

      7 6 5 4 3   Imprimé au Canada   05 06 07 08

Sauvons
les bébés lièvres!

Susan Hughes

Couverture de Susan Gardos
Illustrations de Heather Graham
Texte français de Lucie Rochon-Landry

Éditions Scholastic

Chapitre un

Une urgence!

— Ce sont les plus belles affiches de Pâques parmi celles qu'on a faites! s'exclame Maxine, ses yeux bruns brillant de plaisir. Allons les poser sur la grille.

— Bonne idée, dit Sarah, en faisant danser ses tresses rousses sous son chapeau. Les visiteurs d'Animaux Secours vont les apercevoir aussitôt qu'ils vont franchir la grille en voiture!

C'est un dimanche froid, et les deux amies donnent un coup de main au centre de réhabilitation pour animaux sauvages, situé aux limites du village de Maple Hill. Elles passent plusieurs après-midi par semaine là, et tous les samedis, elles servent de guides aux visiteurs. Il y a parfois des tâches supplémentaires à accomplir, et elles viennent alors le dimanche, comme c'est le cas aujourd'hui.

Affiches et ruban adhésif en mains, elles se hâtent le long de l'allée caillouteuse qui traverse le stationnement et mène à l'entrée principale.

— Je croyais que ta grand-mère devait venir ce matin, fait remarquer Sarah, en remontant la fermeture éclair de son blouson de printemps.

— Moi aussi, répond Maxine. Elle a dit qu'elle viendrait avec sa nouvelle amie, Mme Peach, pour lui faire visiter Animaux Secours. Mme Peach habite Maple Hill depuis toujours, mais elle n'a jamais vu les animaux du centre.

Les filles atteignent la grille de l'entrée et son panneau annonçant Clinique médicale et centre de réhabilitation Animaux Secours. Sous le nom, il y a une empreinte d'animal. Aux pieds de la grille, quelques plantes printanières bien téméraires font leur apparition parmi les feuilles mortes de l'automne dernier. Maxine et Sarah posent deux de leurs affiches sous le panneau en faisant bien attention de ne pas écraser les petites pousses.

— Super, s'exclame Maxine en reculant pour

2

mieux admirer leur travail.

Sur l'une des affiches, canetons, poussins et lapins se dandinent, grattent le sol et sautillent en une longue farandole. L'autre est décorée d'œufs de Pâques, de lapins et de chiots grassouillets. Maxine y a écrit *Animaux Secours accueille le printemps!*

— Où est-ce qu'on va mettre les autres affiches? demande Maxine.

— On pourrait les poser près des enclos des animaux, suggère Sarah.

Les deux amies remontent l'allée. Maxine sourit en pensant à Pâques. Elle songe aux petits animaux qui vont naître et à l'arrivée du printemps. Le printemps est sa saison préférée!

Elles atteignent le stationnement au moment où la voiture de Mme Oakley, la grand-mère de Maxine, fait son entrée. Maxine est surprise de voir trois personnes en descendre.

— Bonjour, les filles! leur lance Mme Oakley. Je vous présente mon amie, Mme Clara Peach. Et voici son neveu, Randall.

— Bonjour, leur dit Mme Peach en agitant les doigts.

Ses cheveux sont blancs et frisés, et elle a un visage rond.

— Je suis contente de vous rencontrer toutes les deux.

Les filles saluent Mme Peach. Maxine jette un coup d'œil à Randall. Il n'a pas tout à fait l'air d'un adulte. Il a les yeux bruns, ses cheveux sont trop longs, et sa chemise sort de son pantalon. Maxine attend qu'il leur dise bonjour, mais il regarde au loin. Il ne leur accorde aucune attention.

— Randall est arrivé aujourd'hui, à l'improviste, leur explique Mme Peach. Il étudie tout près, à l'université de la région. Alors, sa mère, qui est ma sœur, lui a suggéré de rendre visite à sa chère tante, et ça, c'est moi!

Maxine attend que Randall dise quelque chose, mais il ne parle pas. Il enfonce les mains dans ses poches. Il jette un regard aux filles et leur fait un tout petit sourire, puis il se remet à regarder au loin.

Maxine regarde Sarah, qui roule les yeux. Maxine pouffe de rire.

— Alors, Maxine, roucoule Mme Peach, tu habites ici depuis quelque temps maintenant. Est-ce que tu aimes vivre à Maple Hill?

— Oh, j'aime beaucoup vivre ici! répond Maxine. J'adore la campagne. Je fais de longues randonnées avec grand-maman. Et puis j'ai rencontré Sarah, et nous sommes devenues bénévoles à Animaux Secours.

— Pourrais-tu raconter à Randall comment tu as connu cet endroit? suggère Mme Peach. Tu me rafraîchiras la mémoire, par la même occasion, ajoute-t-elle, en relevant son collet rose pour se protéger de la brise fraîche qui s'élève. On peut peut-être parler tout en marchant vers les enclos des animaux. Je commence à avoir froid, dit-elle en replaçant les boucles de ses cheveux.

— Bonne idée, répond Maxine. C'est par là, ajoute-t-elle en pointant le doigt.

Sarah et elle guident le groupe vers le sentier qui part du bâtiment et serpente entre les arbres.

— Eh bien, vous savez que grand-maman, mon frère David et moi, on a trouvé un bébé lynx dans les bois, quelques jours seulement après notre arrivée à Maple Hill, commence Maxine.

Elle revoit très bien la scène en pensée. Un *miaou* plaintif avait attiré son attention et l'avait poussée à fouiller les rochers au pied d'une falaise. Elle revoit la minuscule créature qu'elle y a trouvée. Maxine ne savait pas que c'était un bébé lynx. La petite bête, minuscule et sans défense, ressemblait au chaton d'un chat domestique.

5

Ses yeux étaient encore fermés, et elle miaulait plaintivement. Mais lorsque Mme Oakley, David et Maxine ont remarqué les touffes sur ses oreilles et sa queue courte, ils ont compris que ce n'était pas un chaton ordinaire!

— La mère du petit lynx avait été tuée et vous saviez que le bébé ne survivrait pas tout seul, dit Mme Peach en hochant la tête, ce qui fait rebondir ses boucles blanches.

Elle jette un regard à son neveu, qui marche à ses côtés.

— Randall, écoute, ajoute-t-elle gentiment. C'est tout à fait ton domaine, les animaux.

— J'écoute, ma tante, murmure Randall.

Maxine lève les sourcils. La réponse de Randall la surprend. Il n'avait certainement pas l'air d'écouter. Elle continue son récit.

— On a amené le petit lynx, qu'on a appelé Touffi, ici, à Animaux Secours. La propriétaire est Abbie, Abigail Abernathy. La mission d'Animaux Secours, c'est de soigner les animaux sauvages malades ou blessés et de les retourner ensuite chez eux, dans les bois. Mais il y a quelques animaux qui vivent au centre en permanence. En voilà justement un.

Ils sont arrivés dans une vaste clairière, où se

6

trouve un large cercle d'enclos. Maxine s'arrête
devant le premier.

– Je vous présente Blanco.

Le renard roux boit de l'eau à son récipient.
En entendant la voix de Maxine, il lève la tête
et pointe les oreilles vers l'avant.

– Oh, s'exclame Mme Peach en portant la
main à sa bouche. Il est magnifique. Regardez
la fourrure blanche au bout de sa queue. Mais
le pauvre a seulement trois pattes.

– C'est vrai, répond Maxine. Il a eu un
accident quand il était bébé. Mais il est surtout ici
parce qu'il n'a jamais appris à trouver lui-même sa
nourriture. Si on le relâchait, il ne survivrait pas.

– Je vois, réplique Mme Peach en approuvant
de la tête.

Maxine jette un regard furtif du côté de
Randall. Le jeune homme ne semble toujours pas
l'écouter, mais il contemple Blanco avec une vive
attention. Il est absolument immobile. Son visage
est calme, et ses yeux ne quittent pas le renard
roux.

– C'est merveilleux qu'il y ait cette clinique
pour accueillir les animaux. Mais est-ce
qu'Animaux Secours n'a pas failli fermer?
demande Mme Peach.

– Oui, reconnaît Mme Oakley en hochant la tête. Animaux Secours était en difficulté. Il n'y avait plus d'argent et le centre était sur le point de fermer. Après que nous avons laissé Touffi ici, Maxine et Sarah ont aidé Abbie à préparer une journée portes ouvertes pour recueillir des fonds pour la clinique.

– Animaux Secours se porte pas mal bien, en ce moment, ajoute Maxine.

Mais son sourire s'évanouit, et elle fronce les sourcils.

– Il reste un problème à régler. On n'a plus de vétérinaire d'animaux sauvages. Celui qui venait bénévolement a pris sa retraite.

– Oh, mais ça ne devrait pas poser de problème, s'exclame Mme Peach. Du moins, plus maintenant.

Elle joint les mains, le visage rayonnant. Puis elle se tourne vers son neveu.

Randall ne dit rien. Il ne quitte pas le renard roux des yeux. Il n'a peut-être pas entendu ce que sa tante vient de dire.

– Je peux peut-être aider, dit-il enfin d'une voix douce.

Randall ne regarde ni Maxine ni sa tante. Il contemple toujours Blanco. On dirait qu'il lui parle.

Maxine est perplexe. Qu'est-ce qui se passe? Que veut dire Randall? Elle se demande s'il va ajouter quelque chose. Tous les visages sont tournés vers lui.

Au moment où il ouvre la bouche, ils entendent une autre voix, qui vient du stationnement.

— Max! Sarah! Venez vite!

C'est Abbie, et on dirait que quelque chose ne va pas.

Chapitre deux

Un accident

Maxine a un pincement à l'estomac. Qu'est-ce qui a bien pu arriver? se demande-t-elle. Un gros nuage cache le soleil, et Maxine frissonne. C'est le printemps et Pâques est presque là. Mais le temps semble se refroidir au lieu de se réchauffer.

— Viens, lance-t-elle à Sarah. Allons voir ce qu'Abbie nous veut.

Abbie est au volant de sa familiale bleue. Elle a baissé la vitre.

— Un animal a besoin de notre aide, leur lance Abbie. Vous devriez venir avec moi, les filles.

De la vapeur sort de sa bouche quand elle respire. Elle retire ses lunettes embuées par le froid. Maxine voit alors son regard soucieux.

Mme Oakley arrive à la hâte. D'un signe
de tête, elle permet à Maxine et Sarah
d'accompagner Abbie.

Les filles grimpent sur le siège arrière et
bouclent leur ceinture. Dans le coffre derrière
elles, Abbie a rassemblé plusieurs paires de gants,
une couverture, un filet et une grande cage. La
cage semble assez grande pour contenir un chat
ou un chien.

Maxine frissonne d'excitation et d'inquiétude.
Quel animal vont-elles secourir?

— Abbie, commence-t-elle, où est-ce qu'on…

— Je ne peux pas parler en conduisant,
l'interrompt Abbie. Désolée, mais je dois essayer
de me rappeler le chemin.

La voiture démarre, et les voilà parties.

Tout en conduisant, Abbie se marmonne des
indications à elle-même. Maxine et Sarah sont
assises sagement et n'osent pas échanger un mot.
Elles ne veulent pas déranger Abbie.

L'auto s'éloigne du village de Maple Hill et
roule dans la campagne. Le pâle soleil disparaît.
Maxine est surprise de voir la neige se mettre
à tomber doucement sur les champs et les bois.

— On devrait arriver bientôt, dit lentement

Abbie en tendant le cou pour voir au loin.
Voyez-vous une maison rouge?

Maxine aperçoit une longue allée de terre.
Tout au bout, il y a une maison rouge.

— Là, Abbie, fait-elle en pointant le doigt.

— Ça doit être ça, réplique Abbie, avec un
soupir de soulagement. C'est de là que Laura
Flanagan m'a appelée. Elle a un chenil.

Un chenil? Pourquoi aller dans un chenil? se
demande Maxine. Mais Abbie se concentre pour
éviter les nids-de-poule. Maxine jette un regard
à Sarah, qui hausse les épaules, l'air perplexe.

Enfin, Abbie ralentit et se range le long de
la maison rouge. Un homme portant une barbe
rousse et un blouson noir se hâte à leur rencontre.

— Bonjour! Bonjour! lance-t-il, pendant
qu'Abbie, Maxine et Sarah descendent de la
voiture.

Maxine peut à peine entendre ce qu'il dit. L'air
est rempli de jappements. Les aboiements aigus,
mêlés à d'autres plus graves, proviennent d'un
bâtiment peu élevé à leur droite. *C'est sûrement
le chenil*, pense Maxine.

— Je suis Abigail, d'Animaux Secours. Êtes-
vous monsieur Flanagan? demande Abbie
précipitamment en l'observant à travers ses

lunettes rondes. Où est Mme Flanagan?

— Je suis Clive Flanagan. C'est ma femme, Laura, qui vous a téléphoné, répond l'homme en haussant la voix pour couvrir les jappements. Je suis content que vous soyez venue. Nous sommes très inquiets. Nous avons trouvé un animal et nous croyons qu'il est blessé. En tout cas, il est évanoui.

Le cœur de Maxine bondit dans sa poitrine. Un animal évanoui? Ça doit être grave. La pensée d'un animal blessé ou en danger l'attriste. Mais cette tristesse s'accompagne d'un sentiment plus agréable. Les Flanagan veulent secourir l'animal. Abbie, Sarah et Maxine veulent les aider. S'ils s'y mettent tous, peut-être que tout ira bien.

— Laissez-moi le voir, répond Abbie à M. Flanagan.

Puis Abbie se tourne vers Maxine et Sarah.

— Les filles, allez chercher la cage dans le coffre, s'il vous plaît. Étendez la couverture au fond, d'abord. Et pouvez-vous m'apporter une paire de gants aussi?

Quelques minutes plus tard, les filles suivent M. Flanagan et Abbie dans la maison en portant la cage. Même en refermant la porte derrière elles, elles peuvent entendre les aboiements agités des

chiens. Elles traversent le vestibule à la suite
de M. Flanagan, et pénètrent dans une cuisine
chaude et bien éclairée. Une femme est accroupie
près d'un vieux parc pour bébés. Un filet recouvre
les barreaux de bois. De vieilles couvertures sont
déposées au fond. La femme lève les yeux quand
ils entrent.

— Bonjour, les salue-t-elle. Je suis Laura
Flanagan. Et voici la patiente. Nous regrettons
de ne pas vous l'avoir amenée. Mais plusieurs de
nos chiennes sont sur le point d'avoir leurs chiots
et nous ne pouvons pas les laisser.

— Je comprends, s'empresse de répondre
Abbie.

— Nous gardons toujours ce parc dans la
cuisine, explique Mme Flanagan. Nous ne savons
jamais quand nous allons en avoir besoin. Parfois,
nous y mettons les nouveaux chiots. Parfois, c'est
un de nos pensionnaires qui doit passer une nuit
ou deux dans la maison.

Curieuse, Maxine s'approche. Elle jette un
coup d'œil dans le parc. De quel animal s'agit-il?
Mais elle ne distingue rien sous les plis des vieilles
couvertures.

— Voyons de quoi il s'agit, dit Abbie en
enfilant ses gants.

Abbie est experte en sauvetage d'animaux sauvages. Elle connaît beaucoup de choses sur eux et sait comment les manipuler en toute sécurité. Elle porte toujours des gants épais quand elle prend soin d'un animal sauvage.

Elle se penche au-dessus du parc et allonge lentement les bras. Elle déplace doucement la couverture du dessus. Une longue et large oreille blanche apparaît alors, puis une deuxième. Le bout de chaque oreille est noir. Maxine aperçoit une petite face brune et poilue, un nez noir et deux longues oreilles. C'est un lapin, mais il ne bouge pas, et ses yeux sont fermés.

— Est-ce qu'il respire? murmure Maxine en voyant le magnifique animal immobile.

— Oui, Max, la rassure Abbie.

Elle tire un peu plus sur la couverture, et Maxine peut voir les flancs de l'animal se soulever.

— Il respire, mais il est bel et bien évanoui.

— Un lapin! s'exclame doucement Sarah en joignant les mains de plaisir. Un lapin pour Pâques!

— Ça ressemble à un lapin, répond Abbie. Mais je ne crois pas que ça en soit un. Regardons de plus près.

— Nous ne vous avons pas dit grand-chose au téléphone, reprend M. Flanagan, pendant qu'Abbie soulève avec précaution l'animal à la fourrure brune. Nous avons trouvé la pauvre bête à la lisière d'un bosquet, dans notre champ. Nous marchions avec deux de nos chiens.
Heureusement, ils étaient en laisse. Autrement…

Il se passe une main sur le front et secoue la tête.

— Elle ne bougeait pas, explique Mme Flanagan d'une voix soucieuse. Nous l'avons trouvée par hasard et nous pensions d'abord… ajoute-t-elle en jetant un regard aux filles, qui écoutent attentivement chacune de ses paroles. Eh bien, nous pensions qu'elle était morte. Mais pendant que Clive retenait les chiens, je me suis approchée. Elle semblait respirer.

— Nous avons ramené les chiens à la maison et nous sommes retournés là-bas immédiatement avec une paire de gants. Elle était toujours là, évanouie. Elle n'avait pas bougé, continue M. Flanagan. Nous savions qu'elle était en difficulté.

— Nous avons entendu parler de votre clinique quand vous avez tenu votre journée portes ouvertes. Alors, nous avons tout de suite pensé à vous appeler. Pouvez-vous l'aider? implore Laura Flanagan en ouvrant les mains en signe d'impuissance.

— Je vais faire tout ce que je peux, répond Abbie à Mme Flanagan, qui semble rassurée.

Les longues pattes de l'animal pendent mollement, et Abbie les soulève. Elle tient délicatement l'animal au creux de ses bras.

— Là, là, murmure-t-elle doucement. Voyons ce qui ne va pas.

Maxine se penche pour mieux voir, elle aussi.

Le dos et les flancs de l'animal aux longues oreilles sont recouverts d'une fourrure brune, mais la fourrure sur son ventre est blanche. Ses pattes antérieures et postérieures sont blanches, elles aussi. Il est magnifique. Maxine imagine combien sa fourrure doit être douce au toucher. Puis elle secoue légèrement la tête. Abbie n'est pas certaine que ce soit un lapin!

— Non, ce n'est certainement pas un lapin, conclut Abbie après un premier coup d'œil.

Maxine n'est pas la seule à être surprise. Elle peut lire l'étonnement sur les visages de Sarah, et de M. et Mme Flanagan.

— C'est un lièvre, explique Abbie. Un lièvre d'Amérique. Et c'est une femelle. Le lièvre

18

d'Amérique change de couleur à l'automne et au printemps. En hiver, il est blanc pour passer inaperçu dans la neige. En été, il est brun. Vous voyez comme notre amie est en train d'échanger sa fourrure blanche contre une brune?

Maxine hoche la tête. Même la face du lièvre est presque toute brune avec quelques petites taches blanches.

— Et regardez, continue Abbie en touchant la patte postérieure droite du lièvre. Vous voyez comme ses pattes postérieures sont larges? Elles sont beaucoup plus grosses et larges que celles du lapin. Elles sont recouvertes de fourrure et de coussinets poilus. Elles servent de « raquettes » au lièvre et l'aident à mieux répartir son poids lorsqu'il court dans la neige profonde.

Un lièvre d'Amérique pour Pâques! Maxine sent des picotements dans tout son corps. C'est la première fois qu'elle en voit un.

Maintenant, Abbie examine la patte postérieure gauche du lièvre. Maxine y voit une tache rouge. Elle retient sa respiration.

— Hum, c'est du sang, note Abbie calmement.

Elle regarde le lièvre immobile et reste un moment sans dire un mot.

— Ouvrirais-tu la porte de la cage, s'il te plaît,

finit-elle par demander à Maxine.

Maxine se hâte d'ouvrir la cage, et Abbie y dépose le lièvre au creux de la couverture brune.

– Croyez-vous qu'elle va s'en tirer? demande Mme Flanagan d'un ton soucieux. Est-ce que la blessure est grave? ajoute-t-elle en jetant un regard inquiet à Abbie.

– Je ne sais pas, répond Abbie en secouant la tête. Mais nous allons faire de notre mieux pour l'aider, ajoute-t-elle en se levant.

– Attendez, dit Mme Flanagan en posant la main sur le bras d'Abbie. Vous ne pouvez pas partir tout de suite. Il y a autre chose. Quand nous sommes retournés chercher le lièvre, Clive a mis les gants pour le ramasser, et nous étions sur le point de partir lorsque…

Mme Flanagan soulève le bout d'une couverture dans le coin du parc.

Maxine se penche encore une fois pour mieux voir. Ce qu'elle aperçoit lui coupe le souffle.

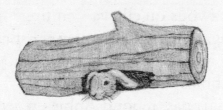

Chapitre trois

N'aie pas peur

— Un bébé lièvre! s'écrie Maxine.

Puis elle se rappelle qu'elle doit parler doucement. Les bruits forts effraient les animaux sauvages.

— Il y a aussi un bébé lièvre! répète-t-elle d'une voix plus calme.

Elle contemple avec stupéfaction le minuscule animal recroquevillé au fond du parc. On dirait une réplique miniature de sa mère, sauf que son pelage est court et tout brun. Même le bout de ses petites oreilles est noir, comme celles de sa mère. Ses yeux noirs sont grands ouverts.

— Oui, reprend Mme Flanagan. Nous l'avons

découvert sous une souche tout près.

Maxine tremble à l'idée qu'un des chiens aurait pu flairer le petit animal, tirer sur sa laisse…

Elle repousse cette horrible image et reporte ses pensées sur le bébé lièvre. Il n'a pas bougé d'un poil.

— Il est parfaitement immobile, dit-elle avec admiration. On dirait qu'il pense que s'il ne bouge pas, on ne le verra pas.

— Et il a raison, dit Abbie. C'est un des principaux moyens de défense des lièvres d'Amérique contre leurs prédateurs.

Elle s'accroupit à côté du parc pour mieux voir.

— Est-il assez vieux pour se déplacer par bonds? demande Sarah.

— Oh oui, fait Abbie en hochant la tête. Les lièvres ne construisent pas de nids comme les lapins. Ils piétinent l'herbe dans un endroit protégé, sous une souche, par exemple, et donnent naissance à leurs petits à même le sol. Les levrauts, c'est le nom qu'on donne aux bébés lièvres, peuvent voir en naissant. Et ils apprennent rapidement à courir. En fait, le jour même de leur naissance, ils peuvent se déplacer dès que leur fourrure est sèche.

— C'est incroyable! s'exclame Maxine.

Elle sait que les chiots et les chatons naissent aveugles et sans défense. Elle se souvient que Touffi, le bébé lynx, ne pouvait ni voir ni entendre jusqu'à l'âge de deux semaines environ.

— Mais où sont les autres bébés? Pourquoi n'étaient-ils pas avec celui-ci? demande Mme Flanagan à Abbie.

— Dès qu'ils peuvent bouger, les petits s'éloignent les uns des autres et de leur mère, explique Abbie. Ils sont plus en sécurité comme ça. Un levraut peut se cacher sous une souche, comme celui-là, et un autre dans un buisson. La maman lièvre vient les voir seulement une fois par jour, habituellement pendant la nuit. Tous les petits viennent téter en même temps. Ensuite, ils retournent se cacher. La mère a dû être attaquée par un animal juste après avoir allaité son petit. C'est sûrement pour cette raison que vous l'avez trouvée si près du bébé. Ils ont de la chance d'être encore vivants, tous les deux. Vous et vos chiens êtes sans doute arrivés juste à temps pour faire fuir l'attaquant.

Maxine, reconnaissante, ne peut pas s'empêcher de sourire à M. et Mme Flanagan.

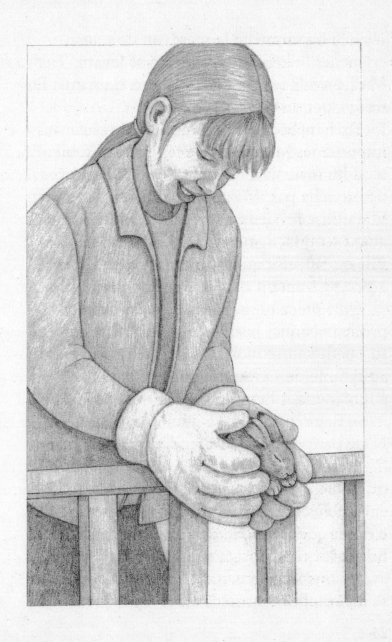

— Si on emmène la mère, on doit aussi
emmener le bébé, dit Abbie en se levant. Tiens,
Max, prends-le, toi. Mets d'abord ces gants. Et
ne fais pas de bruit.

Enchantée de se voir confier une tâche aussi
importante, Maxine enfile les gants d'Abbie. Elle
tend les mains vers le petit lièvre qui, très brave,
ne bronche pas. Maxine le soulève doucement.
Elle utilise les deux mains, mais le petit animal
aurait tenu facilement dans une seule paume.
Elle est surprise qu'il soit aussi léger : il pèse
à peu près autant qu'une balle de tennis!

Avec précaution, Maxine transporte son
précieux paquet jusqu'à la cage. Il tremble, et
son petit ventre monte et descend rapidement
au rythme de sa respiration. Elle le dépose
à l'intérieur et l'enveloppe dans la couverture.

— Tu es en sécurité ici, lui murmure-t-elle.
N'aie pas peur. On va prendre soin de toi.

Lorsqu'elle se relève, Maxine constate
qu'Abbie a l'air soucieuse.

— Dans cette région du pays, les lièvres
d'Amérique ont habituellement de deux à cinq
bébés, dit-elle pensivement. Ce petit semble
avoir deux jours environ. Les levrauts peuvent
se débrouiller tout seuls assez rapidement, mais

ils ont besoin du lait de leur mère pendant trois à quatre semaines.

Maxine sent son estomac se tordre. Où sont les autres levrauts? Sont-ils vivants? Que va-t-il leur arriver si leur mère ne revient pas les allaiter?

Maxine réalise soudain qu'ils doivent faire vite. Il faut rapidement trouver quelqu'un pour examiner la mère et soigner ses blessures. Il faut qu'elle reprenne connaissance pour qu'ils puissent les ramener, elle et son petit, là où les Flanagan les ont trouvés, et le plus vite possible.

Abbie a l'air tout aussi pressée de se mettre en route.

— Il faut retourner à la clinique et faire examiner cette maman lièvre.

Abbie semble penser que la mère pourra être soignée rapidement, mais Maxine n'en est pas aussi sûre. Abbie est excellente en réhabilitation et prend bien soin des animaux sauvages en convalescence à Animaux Secours. Mais c'était le vétérinaire bénévole qui prodiguait les soins médicaux aux animaux, et il a pris sa retraite.

Il n'y a plus personne à la clinique pour soigner un lièvre d'Amérique blessé. Maxine sent sa gorge se serrer. Qu'arrivera-t-il si le lièvre ne reprend jamais connaissance? Et s'il reprend connaissance, mais que sa patte ne guérit pas comme il faut? Les lièvres doivent être rapides pour échapper aux prédateurs. Un lièvre qui ne peut pas se déplacer rapidement court un grand danger. Et si un prédateur attrape une mère qui allaite encore ses petits…

Maxine se souvient tout à coup des paroles de Mme Peach. C'était avant l'arrivée d'Abbie, lorsque Maxine lui a dit que la clinique n'avait plus de vétérinaire. « Oh, mais ça ne devrait pas poser de problème. Du moins, plus maintenant. » Et puis, Randall a dit qu'il pouvait aider.

Mais que voulaient-ils dire au juste? Est-ce que Randall a vraiment une solution à leur problème? Peut-être, après tout.

Maxine doit en avoir le cœur net. Et vite!

Chapitre quatre

Est-ce qu'elle va se rétablir?

—Venez, les filles.

Abbie et M. Flanagan transportent la cage jusqu'à la voiture, tandis que Maxine et Sarah ouvrent le coffre. Abbie attache la cage pour ne pas qu'elle bouge. M. Flanagan serre la main d'Abbie et donne une petite tape amicale sur les épaules de Maxine et de Sarah.

— Merci beaucoup, leur dit-il.

— Nous vous appellerons plus tard pour prendre des nouvelles de la maman lièvre, ajoute Mme Flanagan, un sourire d'espoir sur les lèvres.

Elle serre son chandail contre elle pour se protéger de l'air froid.

— D'accord, répond Abbie vivement. Croyez-vous pouvoir vous souvenir de l'endroit exact où vous l'avez trouvée?

— Je pense que oui, répond Mme Flanagan, après avoir réfléchi un instant.

— Bien, reprend Abbie. Nous allons revenir avec ces deux-là dès que nous le pourrons. Quand la mère va être bien réveillée et active, nous allons les relâcher, elle et son bébé, là où vous les avez trouvés. On veut que cette mère retrouve ses autres petits rapidement et sans problèmes.

— D'accord, je vais essayer de retracer mon chemin avant votre retour.

Maxine sourit. Ces paroles encourageantes de Mme Flanagan la réconfortent un peu.

— Conduisez prudemment, leur conseille M. Flanagan. Il neige beaucoup maintenant. Je ne me souviens pas d'avoir vu autant de neige juste avant Pâques.

Maxine n'avait pas prêté attention à la neige jusqu'à présent, mais M. Flanagan a raison. Les flocons tombent dru, et une mince couche de neige recouvre déjà le sol.

Pendant que la voiture s'éloigne de la maison, Maxine demande à Abbie si elle peut utiliser son téléphone cellulaire.

— Certainement, répond Abbie, surprise. Mais pourquoi? Est-ce que ça ne peut pas attendre qu'on soit de retour à la clinique?

Maxine secoue la tête.

— Non, dit-elle d'un ton ferme. C'est au sujet des lièvres. Il y a peut-être une chance...

Elle ne sait pas très bien comment expliquer.

— Si je fais cet appel, on pourrait peut-être obtenir de l'aide pour secourir les lièvres, finit-elle par dire.

— Dans ce cas, utilise mon téléphone.

Abbie fouille dans son sac, tout en gardant un œil sur la route. Elle tend le téléphone à Maxine, qui compose aussitôt son propre numéro.

C'est sa grand-mère qui répond.

— Grand-maman, c'est moi, Max.

— Max! Est-ce que tout va bien? demande Mme Oakley, d'un ton inquiet.

— Oui... et non, répond Maxine. On ramène un lièvre d'Amérique blessé. C'est une femelle et elle a besoin de soins. Elle avait un petit avec elle, mais il y en a probablement d'autres qui attendent son retour. Si elle n'est pas là pour les allaiter...

Maxine hésite. Elle prend une grande inspiration et se force à continuer.

— Mme Peach avait commencé à dire quelque chose à propos d'un vétérinaire. Elle a dit que ce problème pouvait être réglé. Et puis Randall a ajouté qu'il pouvait nous aider. J'aimerais savoir ce qu'il voulait dire par là. Est-ce que tu pourrais l'appeler et le lui demander?

— Bien sûr, répond sa grand-mère. Je vais faire ça tout de suite. Puis je te rappellerai à la clinique.

— Merci, grand-maman.

Maxine est soulagée. Elle sait qu'elle peut toujours compter sur sa grand-mère.

Sarah lui tire la manche.

— Qu'est-ce qu'elle a dit? demande-t-elle en fronçant les sourcils et en tortillant nerveusement le bout d'une de ses tresses.

Maxine essaie de sourire.

— Grand-maman a promis d'appeler Randall et de découvrir comment il peut nous aider, répond-elle en ouvrant les mains. Je me sens si impuissante. C'est la seule chose que j'ai trouvé à faire.

— Eh bien, ça vaut la peine d'essayer, réplique Sarah doucement, avec un regard d'admiration pour son amie. Peut-être que Randall peut nous aider.

Abbie conduit en silence. Maxine et Sarah,

bien tranquilles sur le siège arrière, se tordent le cou par-dessus le dossier pour surveiller la mère et son petit dans la cage. Les animaux sont presque entièrement cachés par la couverture. On ne voit que leurs oreilles et leur visage.

— La mère est magnifique, finit par murmurer Maxine. Son visage a la couleur de la cannelle.

— Comme les taches de rousseur sur mon nez, suggère Sarah en hochant la tête.

— C'est vrai, reconnaît Maxine en souriant. Je pense que c'est comme ça qu'on devrait l'appeler, ajoute-t-elle, après avoir réfléchi un instant, Cannelle.

— C'est parfait comme nom! s'exclame Sarah. Et son bébé?

Les filles contemplent le minuscule levraut blotti dans les plis de la couverture. Maxine se souvient de ce qu'elle a ressenti quand elle l'a tenu dans ses mains.

— Il est si petit, s'émerveille-t-elle tout haut. Il est léger comme une plume. Une petite boule de poils.

— On pourrait l'appeler comme ça, Boule de poils? suggère Sarah.

Maxine sourit.

— Ça lui va très bien, dit-elle.

Maxine regarde les oreilles brunes de Boule
de poils et leur pointe noire. Les oreilles bougent
d'un côté et de l'autre quand les filles parlent.

– Je pense que Boule de poils entend très bien,
dit-elle.

– C'est vrai, répond Abbie du siège avant.
Ses oreilles sont en forme de soucoupe. C'est la
forme idéale pour recueillir les sons. Les lièvres
ont une ouïe exceptionnelle.

– Je n'avais jamais vu de lièvre d'Amérique,
lui dit Maxine.

– Moi non plus, lance Sarah à son tour. Et
j'ai toujours habité à Maple Hill!

– C'est normal, leur explique Abbie. La
plupart des gens ont déjà vu des lapins parce
qu'ils sortent le jour. Les lièvres se cachent dans
les buissons et les bosquets, le jour. Ils ne sortent
que la nuit. Et ils se tiennent à l'orée des forêts.

Abbie surveille attentivement la route. Les
essuie-glaces balaient la neige qui s'accumule
sur le pare-brise.

– Ils se méfient des prédateurs, comme les
hiboux, les lynx, les renards et les loups.

Maxine reste silencieuse un moment. Elle
songe au sang sur la patte de Cannelle. Mais elle
n'ose pas poser la question qui lui vient à l'esprit.

Elle prend une grande inspiration et fixe le derrière de la tête d'Abbie.

— Abbie, penses-tu que Cannelle va se rétablir? demande-t-elle, d'une voix tremblante.

— Je n'en sais rien, répond Abbie doucement, sans se retourner.

— Mais qu'est-ce qu'on va faire? Et si elle reste évanouie? Comment peut-on l'aider sans vétérinaire? insiste Maxine, de plus en plus anxieuse. Et on n'a pas beaucoup de temps. Elle doit retrouver ses autres bébés...

Abbie ne répond pas tout de suite.

— On va faire de notre mieux, dit-elle enfin.

Maxine hoche la tête. Sarah et elle ne disent plus un mot, mais Maxine ne quitte plus Cannelle et Boule de poils des yeux.

Chapitre cinq

On a besoin d'un vétérinaire

Lorsqu'elle sent la voiture ralentir et virer, Maxine lève les yeux. Elles franchissent la grille d'Animaux Secours.

Abbie gare la familiale, déplie ses longues jambes et s'empresse d'ouvrir le coffre.

— Pouvez-vous transporter la cage jusqu'à la clinique? demande-t-elle aux deux amies. Je vais aller ouvrir la porte.

Maxine et Sarah soulèvent la cage hors de la voiture avec précaution. Les deux lièvres sont toujours presque entièrement recouverts par la couverture. Les yeux de Cannelle restent fermés. Boule de poils semble se recroqueviller encore plus dans les plis de la couverture.

— Je veux tellement qu'ils aillent bien, dit Sarah anxieusement, son regard passant des animaux sans défense à Maxine.

— Ne t'en fais pas. Je suis sûre que tout va bien aller, la rassure Maxine.

Mais les deux filles savent bien que les animaux qui passent par la clinique ne survivent pas tous.

— On a vraiment besoin d'un vétérinaire d'animaux sauvages, ajoute-t-elle avec une boule dans la gorge. Te souviens-tu du vétérinaire qu'Abbie a appelé quand on a trouvé Touffi? Il ne pouvait pas nous aider. Personne ne connaît mieux les animaux sauvages qu'un vétérinaire d'animaux sauvages! s'exclame-t-elle.

Le vent s'est levé, et l'air semble beaucoup plus froid. C'est le milieu de l'après-midi, mais les nuages obscurcissent le ciel. En traversant le stationnement, Maxine frissonne, malgré son blouson. Ses souliers laissent des traces dans la neige.

Les deux amies marchent lentement, en prenant soin de ne pas secouer leur précieux colis. Une bourrasque fait tourbillonner la neige autour de leurs jambes. Elles grimpent les marches qui

mènent à la clinique. Plus tôt, cette semaine,
elles ont confectionné des guirlandes de fleurs en
papier coloré pour Pâques. Accrochées à la porte
et aux fenêtres de la clinique, les guirlandes se
balançaient dans l'air printanier. Maintenant,
elles dansent avec les flocons.

Abbie les attend à la porte.

— Laissez-moi vous aider, dit-elle en repoussant
ses lunettes sur son nez et en s'emparant d'une
des poignées de la cage.

Maxine suit Abbie et Sarah dans le couloir.
Elles pénètrent dans une des salles d'examen et
déposent doucement la cage sur le sol, près d'un
mur. Maxine baisse les lumières.

Abbie ouvre la cage. Elle déplie doucement
la couverture. Elle regarde les animaux quelques
instants, comme si elle essayait d'évaluer leur état.
Puis elle referme la cage.

— Je ne peux rien faire pour eux en ce
moment, dit-elle d'un ton soucieux. Mais je dois
m'occuper des autres animaux dans les enclos
avant la tombée de la nuit. Pendant que je les
nourris, je penserai peut-être à quelqu'un qui
pourrait nous aider. Sinon, je devrai essayer de
soigner la patte de Cannelle moi-même…

— On peut t'aider, s'empresse d'offrir Maxine.

Ou penses-tu que Sarah et moi, on devrait rester avec les lièvres jusqu'à ce que tu reviennes?

— On ne devrait sans doute pas laisser nos invités tout seuls, répond Abbie pensivement. Il vaut peut-être mieux que vous gardiez un œil sur eux. Venez me chercher si la mère reprend connaissance. D'accord? Je vais me dépêcher.

Tandis qu'Abbie lace ses bottes, Maxine appelle à la maison.

— Maman, est-ce que je peux parler à grand-maman, s'il te plaît?

— Elle n'est pas ici, lui annonce sa mère. Elle est sortie pour un instant.

Maxine sent sa gorge se serrer.

— Je dois vraiment lui parler, maman. Peux-tu lui demander de m'appeler aussitôt qu'elle va rentrer?

— D'accord, répond Mme Kearney. Est-ce que ça va, Max? ajoute-t-elle, inquiète.

— Pas vraiment, admet Maxine. Mais ça aiderait si je pouvais parler à grand-maman. Je vais t'expliquer plus tard.

— Bon, d'accord, dit Mme Kearney. À tout à l'heure, au souper.

— À tout à l'heure.

Abbie regarde sa montre, qui glisse autour de

son poignet mince.

— Il est déjà 16 h 30. Je serai de retour dans une demi-heure. Il n'arrivera rien à Cannelle d'ici là, ajoute-t-elle en voyant le visage soucieux des filles. Et qui sait? Je pourrais feuilleter les livres médicaux que le Dr Jacobs a laissés en partant. J'y trouverai peut-être des indications. J'ai aussi quelques notions de premiers soins. Je serai peut-être capable de traiter moi-même la blessure, dit-elle en enfilant son manteau.

Maxine sent les larmes lui monter aux yeux, mais elle essaie de ne pas pleurer. Bravement, elle sourit à Abbie. Pleurer n'arrangera pas les choses, mais parler à sa grand-mère pourrait être utile.

Pourquoi est-ce que sa grand-mère ne rappelle pas? A-t-elle appris quelque chose de Randall? Peut-être qu'elle n'a même pas réussi à lui parler.

Chapitre six

Blanche ou Cannelle?

— Et si on montait la garde chacune à notre tour auprès de Cannelle et Boule de poils? suggère Maxine. L'une de nous peut rester à la clinique pour les surveiller pendant que l'autre va travailler dans le bureau. Comme ça, on pourra au moins accomplir quelques tâches.

— Bonne idée, répond Sarah avec un sourire.

— Veux-tu prendre le premier tour de garde? demande Maxine.

Sarah fait oui de la tête.

— Alors, tu restes ici, et moi, je vais au bureau, dit Maxine.

Sarah retourne dans la salle d'examen. Maxine

enfile son blouson et marche dans la neige jusqu'au petit bâtiment. Une fois à l'intérieur, elle se dirige vers le bureau d'Abbie, à l'arrière. Il n'est même pas 17 h, mais c'est déjà sombre à l'intérieur. Maxine allume toutes les lumières.

Elle contemple l'étagère qui croule sous les livres, et les magazines et les dossiers empilés sur le divan. Il y a beaucoup de rangement à faire. Cette pensée la fait sourire. C'est une tâche qui est toujours à recommencer. Abbie ne range jamais ses choses. Peut-être que Sarah pourra s'y attaquer quand ce sera son tour de travailler dans le bureau!

Hum... Il y a toujours beaucoup de lettres à écrire aussi. Maxine se souvient qu'un des enfants qui ont visité le centre le mois dernier leur a écrit. La petite fille a beaucoup aimé Blanco, le renard roux, et elle veut plus de renseignements sur les renards, comme ce qu'ils mangent et où ils vivent.

Je vais répondre à sa lettre, pense Maxine.

Elle se dirige vers l'étagère et choisit quelques livres sur la faune. Elle pourra y trouver des tas de renseignements intéressants, si seulement elle arrive à ne plus s'inquiéter au sujet de Cannelle. Elle essaie de se concentrer sur les questions de la petite fille. Elle veut se rendre utile.

Mais elle regarde constamment l'horloge. Elle a hâte de retourner à la clinique. Elle veut monter la garde auprès de Cannelle et Boule de poils.

Maxine soupire. Elle ne peut vraiment pas travailler. Elle est trop inquiète à propos de Cannelle, de Boule de poils et des autres levrauts. Malgré tous ses efforts, elle n'arrive pas à penser à autre chose.

Elle aime bien les renards, mais ce soir, elle ne peut penser qu'aux lièvres. Elle répondra à la lettre de la petite fille demain.

Elle cherche sous « lièvre d'Amérique » dans le plus gros et le meilleur livre sur la faune que possède Abbie, et trouve une fiche d'information, avec des photos en couleurs. Sur une de ces photos, elle voit un lièvre qui s'abrite de la neige sous un buisson. Il ressemble en tous points à Cannelle, sauf pour la couleur! Il est tout blanc, avec le bout des oreilles noir.

Peut-être que Cannelle a besoin de deux noms, pense Maxine en souriant. Cannelle en été et Blanche en hiver!

Dans la légende sous la photo, elle peut lire : *En hiver, le lièvre d'Amérique se nourrit d'écorce, de tiges et de bourgeons d'arbres, tels que l'érable et le saule. Il mange également les aiguilles de la plupart des conifères. En été, il se nourrit de plantes, telles que le trèfle, l'herbe, le pissenlit, les fraises et les marguerites.*

Sur une autre photo, elle voit un lièvre bondissant dans la neige. La légende explique : *Le lièvre court plus vite que la plupart de ses prédateurs. Il emprunte les pistes qu'il a tracées dans la neige. Il entretient ces pistes, coupant toute tige qui pourrait le ralentir dans sa fuite.*

Maxine frissonne à la pensée que Cannelle a pu être la proie d'un prédateur. Est-ce pour ça qu'elle a perdu connaissance? Est-ce comme ça que sa patte a été blessée? On ne le saura probablement jamais, mais, au moins, elle est en sécurité avec nous, pense Maxine.

À cet instant, la porte du bureau s'ouvre. Sarah entre dans un tourbillon de neige.

— Ouf, fait-elle en brossant son blouson. C'est tout blanc dehors!

— Comment vont Cannelle et Boule de poils? demande Maxine en se précipitant pour enfiler son blouson et ses souliers.

Sarah hausse les épaules.

— Boule de poils va bien. Mais Cannelle… dit-elle en fronçant les sourcils. Je ne sais pas. Elle est toujours évanouie. Et je ne vois pas sa patte, alors je ne sais pas si elle saigne encore.

Maxine allait enfiler son blouson, pressée de retourner auprès des lièvres, lorsque le téléphone sonne. Elle répond tout de suite. À Animaux Secours, chaque appel peut être important. Chaque appel peut être une demande d'aide pour un animal ou un oiseau blessé.

Ou peut-être que c'est sa grand-mère, avec de bonnes nouvelles. Maxine sent son cœur battre plus vite.

— Allo?

— Allo. C'est Mme Flanagan. Je voulais prendre des nouvelles des lièvres.

Maxine sourit. Il n'y a pas si longtemps qu'ils ont quitté la ferme des Flanagan. Mais elle

comprend les sentiments de Mme Flanagan.
Quand on s'inquiète pour un animal blessé, le
temps paraît très long.

— L'état de la mère n'a pas changé. Elle ne va
ni mieux ni moins bien, répond Maxine
honnêtement.

C'est la chose la plus rassurante qu'elle trouve
à dire.

— Eh bien, je suppose que c'est bon signe,
répond Mme Flanagan. Je voulais aussi vous dire
que je sais exactement où j'ai trouvé la mère et
le bébé. Je me fais du souci pour les levrauts.
Surtout qu'il neige beaucoup, qu'il fait froid et
que le vent souffle très fort. Ce serait merveilleux
si vous pouviez soigner la mère et revenir très tôt
demain matin.

— Oui, reconnaît Maxine. J'espère qu'on
pourra faire ça.

— Eh bien, à demain matin peut-être, ajoute
Mme Flanagan en terminant. Au revoir.

— Au revoir, répond Maxine.

Au moment où elle raccroche, les lumières
se mettent à vaciller. Elles s'éteignent, se
rallument...

Et soudain, le bureau est plongé dans le noir.

Chapitre sept

Une tempête!

— Oh non, gémit Sarah. Une panne d'électricité! Ça me donne la chair de poule.

Maxine sent sa gorge se serrer. C'est vrai que ça donne la chair de poule quand tout est noir.

— Le vent a dû faire tomber une ligne électrique, dit-elle.

— Qu'est-ce qu'on fait? demande Sarah nerveusement.

— Eh bien, on doit continuer à prendre soin des lièvres, répond Maxine. On va retourner ensemble à la clinique et attendre qu'Abbie revienne. Elle ne devrait pas tarder.

Maxine enfile son blouson, puis Sarah et

elle se dirigent vers la porte. Mais, tout à coup, elles sursautent. Quelqu'un frappe de grands coups à la porte, qui s'ouvre brusquement. La personne s'engouffre à l'intérieur.

Mais qui est-ce? Impossible à dire dans la pénombre.

La personne enlève sa tuque et lève son visage vers les deux filles. Maxine en a le souffle coupé. C'est Randall!

— Randall! s'écrie-t-elle. Qu'est-ce que tu fais ici?

— Qu'est-ce que je fais ici? Je croyais que vous aviez besoin d'aide! C'est ce que ta grand-mère m'a dit, et c'est ce que *tu* m'as dit plus tôt aujourd'hui.

Il secoue sa tuque et frotte les manches de son blouson pour en enlever la neige, puis il se passe les doigts dans les cheveux.

— C'est vrai qu'on a besoin d'aide, dit Maxine en fronçant les sourcils. Ou plutôt, c'est Cannelle, la maman lièvre, qui a besoin d'aide. Est-ce que ma grand-mère t'a raconté ce qui s'est passé? Cannelle est évanouie et elle saigne. Mais qu'est-ce que tu peux faire? ajoute-t-elle, après une courte pause.

Randall ne répond pas tout de suite. Maxine

et Sarah le dévisagent.

— Je vais devenir vétérinaire, dit-il enfin. Je veux dire que j'étudie pour devenir vétérinaire d'animaux sauvages…

Maxine ouvre tout grand les yeux.

— Super! s'écrie Sarah.

Maxine entrevoit une lueur d'espoir. Elle revoit la maman lièvre à la magnifique fourrure brune. Elle imagine Cannelle bondissant à travers les champs enneigés, agile et libre, ou zigzaguant vers la forêt pour se mettre à l'abri d'un grand-duc d'Amérique. Elle pense à Boule de poils et à ses frères et sœurs grandissant, forts et en santé. Peut-être que demain, elle verra les autres levrauts.

Mais soudain, elle se mord la lèvre. Elle revoit le corps immobile du lièvre. Et le sang sur sa patte. Est-ce que Randall peut vraiment aider Cannelle?

Elle lui jette un regard plein de doute.

— Abbie travaille avec les animaux depuis très longtemps, mais elle-même n'est pas sûre de pouvoir aider Cannelle, réplique-t-elle.

— Je peux essayer, répète Randall en lui rendant son regard. J'ai eu une formation pratique cette année, à l'université. On a appris à faire des points de suture et à soigner les animaux. J'ai participé à un séminaire qui traitait des animaux sauvages.

Maxine hoche la tête une fois, puis encore. Un sourire illumine son visage.

— Allons à la clinique, dit-elle rapidement. C'est là que se trouvent les lièvres.

— D'accord, dit Randall. Mais il neige beaucoup. Peut-être que vous devriez rester ici. Je peux y aller tout seul.

Maxine et Sarah dévisagent le jeune homme.

— Tu te moques de nous? s'exclame Sarah en riant.

— Ce n'est pas un peu de neige qui va nous empêcher d'aller avec toi! ajoute Maxine d'un ton enjoué.

Randall secoue la tête.

— Vous, les filles, vous semblez aimer les animaux autant que moi.

— Et peut-être même plus! s'exclame Maxine. Allons-y!

Chapitre huit

J'ai fait une erreur

Maxine ouvre la porte et les trois jeunes se dirigent vers la clinique. Le vent souffle très fort et soulève des tourbillons de neige.

— Pas surprenant qu'il y ait une panne d'électricité, commente Sarah en agrippant son chapeau, que le vent a presque arraché.

Ils traversent la cour à la hâte. Maxine ouvre la porte de la clinique, et ils s'engouffrent tous les trois à l'intérieur. Sarah referme rapidement la porte derrière elle.

Maxine appuie sur le commutateur, mais il ne se passe rien.

— On a besoin de lampes de poche ou de chandelles, dit Randall.

51

— Je vais aller chercher Abbie, suggère Sarah.

Mais Maxine pose la main sur le bras de Sarah.

— Non, ça va, dit-elle, tout en réfléchissant.

Abbie n'a probablement pas fini de s'occuper des animaux. Soudain, Maxine fait claquer ses doigts et un sourire de satisfaction illumine son visage.

— Je sais ce qu'il faut faire, s'exclame-t-elle.

La trousse d'urgence! Abbie en apporte toujours une avec elle lorsqu'elle va secourir les animaux, et elle en laisse une à la clinique. Elle a montré à Maxine où elle la garde.

Maxine longe les murs du corridor plongé dans l'obscurité.

— Je l'ai trouvée, annonce-t-elle.

Elle ouvre la trousse et en tâte le contenu pour trouver une des lampes de poche, qu'elle allume aussitôt. Le faisceau lumineux éclaire les visages soulagés de Randall et de Sarah.

— Bravo! applaudit Sarah. Allons voir comment va Cannelle.

Maxine tend une autre lampe de poche à Sarah, qui les guide vers la salle d'examen. Les deux filles se précipitent vers la cage et Maxine regarde à l'intérieur. Cannelle et Boule de poils sont toujours enveloppés dans la couverture.

Maxine voit le nez de Boule de poils remuer lorsqu'elle se penche sur la cage. Il relève les oreilles, et leurs pointes noires frémissent quand il les fait bouger. Le levraut semble plonger ses yeux noirs dans ceux de Maxine.

Elle reste un moment à le contempler. Puis elle se tourne vers Randall.

— Vas-tu regarder la patte de Cannelle maintenant?

Mais à sa grande surprise, Randall reste là, hésitant.

— Randall, vas-tu regarder la patte de Cannelle? répète Maxine.

Mais Randall ne répond toujours pas. Sarah et Maxine se regardent, étonnées.

— Randall, il y a quelque chose qui ne va pas? demande doucement cette dernière.

Randall hoche la tête.

— Ça m'inquiète un peu, répond-il enfin. Je pensais que je pouvais m'occuper de Cannelle, mais c'est peut-être mieux pour elle si je ne le fais pas.

Maxine dévisage Randall.

— Qu'est-ce que tu veux dire?

Randall secoue la tête, les lèvres pincées. Il ne regarde ni Maxine ni Sarah. Il reste là, à

contempler Cannelle et Boule de poils. Maxine
éloigne le faisceau de la lampe de poche des yeux
de Boule de poils. Les visages soyeux des lièvres

semblent rayonner dans la douce lumière de l'ampoule.

— J'aime les animaux. Je les ai toujours aimés, dit enfin Randall, d'une voix tendue.

Son visage est triste. Il s'approche de la cage sans quitter Cannelle et Boule de poils des yeux. La gorge serrée, il continue :

— J'ai fait un stage pratique dans une clinique vétérinaire, le mois dernier. Je soignais un jeune écureuil blessé. J'ai fait une erreur... l'écureuil est mort.

Randall se tait et s'éclaircit la voix.

— Oh, c'est vraiment triste, sympathise Maxine.

— Oui, c'est vrai, reprend Sarah.

— J'ai fait une grave erreur, continue Randall. Et si j'en fais une autre aujourd'hui... avec Cannelle? ajoute-t-il en se mordant les lèvres et en croisant les bras.

— Mais c'était une erreur, réplique Maxine.

— Tout le monde fait des erreurs, ajoute Sarah.

— C'est vrai. Mais quand tu fais une erreur et qu'un animal meurt... commence Randall.

Maxine, Sarah et lui se taisent.

Maxine regarde par la fenêtre. Dans l'obscurité du soir, elle peut voir la neige qui tombe, épaisse.

Ils sont seuls. Et Cannelle est blessée. Boule de poils et ses frères et sœurs ont besoin d'elle.

— C'est vrai que ça doit être affreux, Randall, mais ça sera encore plus affreux si Cannelle meurt parce que tu ne veux pas la soigner, dit-elle enfin. Et Boule de poils? Et les autres bébés de Cannelle? Si tu peux l'aider à se rétablir, on pourra la ramener auprès de ses bébés, et peut-être qu'ils pourront tous survivre.

Randall ne répond pas. Sarah regarde Maxine et hausse les épaules. Ses yeux sont pleins d'eau. Maxine soupire. Elle a le goût de pleurer, elle aussi.

Randall prend enfin la parole.

— Tu as raison, murmure-t-il doucement.

D'un air déterminé, il enfile des gants d'examen et plonge les mains dans la cage.

— Lumière, s'il te plaît, Max.

Maxine dirige aussitôt le faisceau lumineux pour que Randall puisse voir ce qu'il fait. Doucement, il retire la maman lièvre évanouie de la couverture. Il la tient fermement dans ses bras et caresse son pelage.

Maxine éclaire le lièvre pendant que Randall le retourne d'un côté et de l'autre. Il examine sa tête, son ventre et sa patte.

– Qu'est-ce que tu en penses? demande enfin Maxine. Est-ce qu'elle va guérir?

– Eh bien, ça fait un bon moment qu'elle est évanouie. Difficile de savoir si c'est à cause d'un traumatisme à la tête, et si c'est grave. Mais la bonne nouvelle, c'est que sa blessure à la patte ne semble pas trop grave. Il faut la nettoyer, mais elle n'a pas l'air très profonde. Je pense que je peux soigner Cannelle, ajoute-t-il en regardant Maxine.

Au même instant, Cannelle remue dans ses bras. Elle ouvre soudainement les yeux, et Maxine voit qu'ils sont grands et bruns. Puis elle bouge les oreilles, remue les pattes et les ramène contre son corps.

– Elle reprend connaissance! s'écrie Randall, soulagé, en la tenant plus fermement. Elle va mettre un peu de temps à devenir tout à fait consciente, mais le fait qu'elle reprenne enfin connaissance est bon signe.

La joie s'empare de Maxine. La patte de Cannelle va guérir, et elle va bientôt être consciente!

– Elle va probablement être très énervée et apeurée. Ce serait préférable que vous sortiez, dit Randall, d'un ton poli et très professionnel. Mais posez la lampe de poche ici, s'il vous plaît, pour que je puisse voir et la remettre dans la cage.

Maxine et Sarah s'empressent de faire ce que l'étudiant vétérinaire leur demande. Puis elles regagnent le couloir à la hâte.

— C'est formidable! s'écrie Maxine en serrant son amie dans ses bras.

— Oui! s'exclame Sarah. Absolument, fabuleusement, magnifiquement formidable!

Avant que les filles aient le temps d'ajouter autre chose, la porte de la clinique s'ouvre.

— Max? Sarah? lance Abbie. Pouvez-vous m'aider?

— On est ici! s'écrie Maxine.

Les deux filles se hâtent le long du couloir pour accueillir Abbie. Elles peuvent voir le faisceau de sa lampe de poche danser sur les murs. La porte de la clinique claque dans le vent, et la neige s'engouffre partout.

— Désolée d'avoir été partie si longtemps, leur dit Abbie.

Elle a un gros sac dans les bras et une lampe de poche dans une main, et elle essaie de refermer la porte.

— J'ai nourri les animaux et je suis passée par le bureau pour faire quelques appels. Mais il n'y avait plus d'électricité, et j'ai mis quelque temps avant de trouver la lampe de secours. J'espère que vous n'avez pas eu trop peur? ajoute-t-elle, après une courte pause.

— Non, commence Maxine. On n'a pas eu peur. En fait...

— C'est ce que je pensais, dit Abbie en hochant la tête. Et Cannelle? Comment va-t-elle?

— Oh, elle va très bien! répond Maxine en souriant. Abbie, devine ce qui est arrivé?

Mais Abbie écoute distraitement. Avec une dernière poussée, elle referme bruyamment la porte.

— Enfin. Maintenant, Max, peux-tu prendre ce sac? Et toi, Sarah, peux-tu prendre la lampe de poche?

Les filles s'exécutent rapidement.

Abbie se penche pour retirer ses souliers trempés, et Maxine tente encore une fois de lui annoncer la bonne nouvelle au sujet de Cannelle. Mais Abbie ne lui en laisse pas le temps. Elle relève le menton et regarde les filles à travers ses lunettes mouillées.

— Devinez quoi? leur lance-t-elle, avec un large sourire. J'ai eu une idée géniale!

Chapitre neuf

Toute une aventure
pour Pâques!

— On va passer la nuit ici, à la clinique!

Elle se relève, retire ses lunettes et les essuie rapidement sur sa manche avant de les remettre.

— Je sais qu'on est dimanche et qu'il y a de l'école demain. Mais ce ne serait pas une bonne idée d'essayer de rentrer à la maison dans cette tempête. Et, ce qui est encore plus important, on pourra garder un œil sur les lièvres toute la nuit! Qu'est-ce que vous en pensez? Et demain matin, si Cannelle va mieux, on pourra s'échapper à la première heure et la ramener avec son bébé auprès du reste de sa famille. Je pourrai ensuite

vous déposer à l'école avant même que la cloche
sonne.

— Super! souffle Maxine en regardant Sarah.

— Oui, j'adorerais ça, s'empresse d'approuver
Sarah en hochant la tête.

— Fantastique, répond Abbie. Dans le sac que tu
tiens, Max, il y a de quoi se régaler. J'ai fouillé dans
mes réserves au bureau et j'ai apporté des choses
à grignoter, pour le souper. Du fromage et des
craquelins, de la poudre de cacao et du lait pour
faire du lait au chocolat, du pain et de la confiture.
Et j'ai même déniché quelques bananes. Je vais aller
jeter un coup d'œil à Cannelle pendant que vous
appelez vos parents pour les avertir. Tenez. Vous
pouvez utiliser mon téléphone cellulaire.

Pendant que Sarah compose son numéro de
téléphone, Abbie regarde Maxine.

— Même si Cannelle allait mieux maintenant, il
fait trop noir pour qu'on la ramène dans le champ.
On ne pourrait jamais trouver les bébés la nuit et
avec toute cette neige.

— Abbie… commence Maxine en posant la
main sur son bras.

— Ces petits ne peuvent pas se passer de leur
mère trop longtemps, continue Abbie, l'air soucieux.

Maxine approuve de la tête.

— Mais Abbie...

— D'un autre côté, avec sa patte blessée...
continue Abbie en pinçant les lèvres. Eh bien,
on doit espérer pour le mieux, n'est-ce pas? Je vais
l'examiner un peu plus, et puis, comme je l'ai déjà
dit, je vais feuilleter quelques-uns des livres
médicaux du Dr Jacobs. Je pourrais même
l'appeler et obtenir des conseils par téléphone,
ajoute-t-elle en croisant les bras et en fronçant les
sourcils. Je dois bien pouvoir faire quelque chose
pour soigner la patte de Cannelle.

Sarah a terminé son appel.

— Peux-tu rester? lui demande Abbie.

— Oui, répond Sarah. Mais Abbie, écoute ce
que Maxine essaie de te dire!

— J'ai de bonnes nouvelles! lance Maxine en
posant de nouveau la main sur le bras d'Abbie.

Abbie retire ses lunettes encore une fois. Elle
les essuie de nouveau, puis les remet sur son nez
et regarde Maxine.

— Eh bien, qu'est-ce qu'il y a?

— Tu te rappelles que j'ai appelé ma grand-
mère de la voiture, tout à l'heure? Eh bien,
Randall, le neveu de son amie, étudie pour
devenir vétérinaire d'animaux sauvages. Il est ici,
maintenant, et il a examiné Cannelle. Il pense

que sa blessure va guérir. Il peut la soigner!
Et pendant qu'il l'examinait, elle a repris
connaissance!

– C'est formidable! C'est vraiment formidable!
s'exclame Abbie, soulagée. Pourquoi ne me l'as-tu
pas dit plus tôt? ajoute-t-elle.

Puis Abbie fait un grand clin d'œil et un
sourire à Maxine, pour lui montrer qu'elle a dit
ça pour la taquiner.

Ensuite, sans même reprendre son souffle,
elle se remet à échafauder des plans.

– Où est Randall? Avec Cannelle? Je vais aller
le rejoindre pour m'assurer que tout va bien.
On va la soigner, dormir un peu et, dès demain
matin, on va la ramener à ses bébés. D'accord?
Sac de couchage, couvertures, oreillers... Vous
savez où je garde toutes ces choses, les filles.
Pourriez-vous aller les chercher dans le bureau?
Prenez la lampe de poche, si vous en avez besoin.
Je vais déposer le sac de provisions dans la remise.
Je crois que c'est là qu'on va passer la nuit.

Abbie reprend le sac, se débarrasse de son
blouson et s'élance dans le couloir. Pendant que
Maxine appelle ses parents, elle voit Abbie
s'engouffrer dans la remise, déposer le sac et se
hâter d'aller rejoindre l'animal blessé et son bébé.

Maxine parle à sa mère, qui accepte sans hésiter qu'elle passe la nuit à la clinique. Maxine lui souhaite bonne nuit et raccroche, puis elle entend Abbie se présenter à Randall.

— C'est toi, Randall? Moi, c'est Abbie. Je serai ton assistante. Bon. On va soigner Cannelle tout de suite.

Les deux filles sortent dans la nuit enneigée.

À l'extérieur, Maxine sourit à son amie.

— On couche ici! On passe la nuit avec Boule de poils et Cannelle, puis ensuite, on va aider à les ramener dans la nature!

Sarah lui rend son sourire.

— Je n'arrive pas à y croire, dit-elle, tout énervée.

Les filles rassemblent sac de couchage, couvertures et oreillers. Elles découvrent même un matelas gonflable. Elles reviennent rapidement à la clinique et commencent à installer le matériel.

Lorsque Randall et Abbie réapparaissent, Maxine et Sarah ont réussi à transformer la remise vide en un endroit confortable pour manger et dormir. Elles ont coupé des tranches de fromage et disposé des craquelins sur une assiette. Elles ont même mis la main sur des feuilles blanches,

des marqueurs et des ciseaux, et elles ont découpé des lièvres de Pâques pour décorer l'assiette!

— Comment va Cannelle? demande Maxine à Randall.

— Elle va bien, répond-il, un sourire d'étonnement sur les lèvres. Elle va très bien. Son long évanouissement ne semble pas avoir laissé de séquelles. Pas de traumatisme à la tête. Sa blessure à la patte a nécessité de nombreux points de suture, mais j'ai réussi à les faire.

— C'est formidable! s'écrie Maxine. Beau travail, Randall!

— On savait que tu serais capable, clame Sarah à son tour.

Randall sourit timidement en passant les doigts dans ses cheveux emmêlés.

— Ce jeune homme a fait de l'excellent travail, dit Abbie en lui donnant une grande tape sur l'épaule. Je suis d'accord avec lui quand il affirme qu'on peut relâcher Cannelle et Boule de poils demain matin!

Le sourire d'Abbie s'estompe un peu.

— J'espère que Mme Flanagan se souvient de l'endroit où elle a trouvé les lièvres, ajoute-t-elle pensivement.

— Justement! s'écrie Maxine. Mme Flanagan

a téléphoné pendant que tu étais dehors. Elle a retrouvé l'endroit exact. On n'aura aucun problème demain matin!

— Excellent, répond Abbie, le visage rayonnant.

Maxine est tellement heureuse. Quelle aventure pour Pâques!

Les filles persuadent Randall de rester à souper avec elles. Ils se régalent avec plaisir de fromage et de craquelins, et de lait au chocolat froid. Ensuite, Abbie leur raconte des histoires sur les animaux qu'elle a hébergés au fil des années à Animaux Secours. Les filles parviennent même à convaincre Randall de leur parler un peu de l'école vétérinaire.

Plus tard, Randall examine une dernière fois Cannelle et Boule de poils.

— Ils vont bien tous les deux, leur rapporte-t-il. Vous pourriez peut-être leur jeter un coup d'œil pendant la nuit, juste pour vous assurer que Cannelle ne tire pas sur les points de suture.

— Et si elle le fait? demande aussitôt Maxine.

— Eh bien, vous m'appellerez, et je reviendrai tout de suite lui en faire d'autres, répond Randall calmement. Mais je suis sûr que tout va bien aller. Je lui ai donné quelque chose pour la calmer pendant que je faisais les points et pour qu'elle ne soit pas incommodée pendant la nuit. Demain matin, elle ne devrait plus avoir de démangeaison, et elle sera bien éveillée et prête à retourner chez elle pour prendre soin de ses petits.

Maxine hoche la tête, rassurée par les paroles du jeune homme.

— Merci, Randall, dit-elle, reconnaissante.

— Oui, merci, Randall, ajoute Abbie en lui serrant la main. On aura peut-être encore besoin de ton aide. Peut-être cet été?

Maxine retient son souffle.

— Peut-être, répond Randall en rougissant, mais un large sourire éclaire son visage.

Maxine et Sarah jettent un dernier coup d'œil à Cannelle et Boule de poils avant de s'enfoncer dans des couvertures, dans un coin de la remise. Abbie s'installe dans le sac de couchage que les filles ont étendu sur le matelas gonflable. Même si ses longues jambes pendent à l'autre bout, elle soutient que c'est très confortable. Maxine arrive à peine à garder les yeux ouverts après cette journée bien remplie. Dès que les lampes de poche s'éteignent, elle sombre dans le sommeil.

Chapitre dix

Sains et saufs

Maxine se réveille tôt le lendemain matin. Abbie s'est levée encore plus tôt. Elle revient justement dans la remise en faisant du bruit.

— Cannelle se porte à merveille, annonce-t-elle à Maxine, comme si elle devinait sa première question. Et Boule de poils se porte très bien aussi. L'électricité est revenue, et la neige a déjà commencé à fondre. On déjeune?

— Quelle heure est-il? demande Sarah d'une voix endormie en ouvrant les yeux.

— Le soleil vient de se lever. C'est tôt, je sais. Mais nous devons trouver ces levrauts au plus vite, répond Abbie, d'un ton ferme. Il nous reste des bananes, du pain et de la confiture dans ce panier, ajoute-t-elle, après une pause. Voulez-vous déjeuner avant de partir?

— Ça a l'air bon. Merci, Abbie, répond Maxine poliment. Mais tu as raison. On doit au plus vite ramener Cannelle et Boule de poils là où les Flanagan les ont trouvés. Les autres bébés de Cannelle ont besoin d'elle. Ils ont manqué seulement une tétée, celle de la nuit dernière. Mais on ne veut certainement pas les faire attendre plus longtemps.

— Alors, qu'est-ce qu'on attend? réplique Abbie en tapant des mains. Sarah, va remettre Cannelle et Boule de poils dans la cage, s'il te plaît. Maxine, appelle les Flanagan et dis-leur qu'on arrive. Je vais aller préparer la voiture.

Les deux filles s'empressent de faire ce qu'Abbie leur a demandé.

En moins d'une heure, Maxine, Sarah et Abbie sont de retour chez les Flanagan. La route est encore enneigée, mais le soleil brille et le temps se réchauffe. En approchant de la maison, Maxine aperçoit M. et Mme Flanagan qui les attendent.

Maxine et Sarah se portent volontaires pour transporter la cage qui contient Cannelle et Boule de poils. Elles suivent les Flanagan à travers le champ. Ils s'arrêtent à la lisière d'un bosquet.

— C'est à cet endroit que nos chiens ont d'abord senti la maman lièvre. J'en suis certaine, affirme Mme Flanagan, avec conviction.

Maxine et Sarah déposent la cage. Pendant un moment, personne ne bouge.

— Et c'est là, ajoute Mme Flanagan en pointant une souche, que nous avons trouvé la maman et son bébé.

— Voulez-vous relâcher les lièvres, les filles? demande Abbie.

Maxine et Sarah reprennent la cage et s'avancent vers les arbres. Quand elles atteignent la souche, elles posent la cage sur le sol.

Pendant un moment, les deux filles contemplent les lièvres. Maxine admire la magnifique Cannelle, recroquevillée, prête à bondir vers la liberté. Elle sourit en la voyant remuer et pointer ses longues oreilles pour capter les sons familiers de son habitat. Ses grands yeux font plaisir à regarder. Ce sont les yeux d'un animal sauvage, qui ne reverront peut-être jamais plus un humain. Des yeux faits pour contempler des levrauts soyeux, des pousses d'herbe fraîche et les fleurs colorées du printemps.

Maxine sait qu'il vaut mieux ne pas parler.

Au revoir, Cannelle, pense-t-elle dans son cœur.

Ensemble, Maxine et Sarah se penchent et ouvrent la cage. Maxine voit Cannelle hésiter un bref instant, puis d'un coup de patte et d'un bond, et d'un autre bond, elle s'échappe de la cage et disparaît.

Les filles attendent, immobiles, mais Boule de poils ne semble pas pressé de partir.

Sors, l'encourage Maxine en pensée, mais Boule de poils ne bouge pas.

Après un moment, Maxine se tourne vers Abbie. La grande femme lui fait signe de sortir le petit de la cage.

Maxine plonge ses mains gantées dans la cage et soulève le levraut, léger comme une plume. Son cœur déborde de joie. Le petit animal a les yeux brillants, et il remue le nez et les oreilles. Peut-être qu'il reconnaît les sons et les odeurs de la forêt! Il semble comprendre que quelque chose de merveilleux est sur le point de se produire!

Tout en avançant vers la souche, Maxine caresse Boule de poils du bout des doigts, pour le rassurer. Il est minuscule, mais il va vite grandir. Sa mère est libre et en bonne santé. Elle va l'allaiter cette nuit et la nuit prochaine. Elle va aussi allaiter ses frères et sœurs. Ils auront tous une chance de survivre dans la nature, grâce à Animaux Secours et surtout, grâce à Randall.

Délicatement, elle dépose le petit animal sous la souche, dans un endroit sec que la neige n'a pas atteint. Elle le contemple une dernière fois.

– Au revoir, Boule de poils, s'exclame-t-elle dans un élan de joie. Tu es libre de nouveau!

Boule de poils se met en boule, se faisant tout petit, exactement comme un bébé lièvre doit faire.

Maxine se retourne. Sarah et elle soulèvent la cage et rejoignent les autres. Tous ensemble, ils marchent vers la maison des Flanagan. Maxine sent la chaleur du soleil matinal sur son visage. La neige tombée hier soir commence déjà à fondre dans les champs. Les oiseaux gazouillent, heureux de l'arrivée du printemps. Maxine distingue de nouveau les jeunes tiges vertes qui percent à travers le blanc.

Elle sait que Cannelle viendra se nourrir de ces pousses tendres, et que Boule de poils et ses frères et sœurs se chaufferont aux chauds rayons du soleil printanier. Elle sait aussi que bien d'autres petits animaux sont sur le point de naître.

Maxine soupire de joie. Il n'y a pas de doute. Le printemps est sa saison préférée.

Fiche d'information
sur le lièvre d'Amérique

🐾 On trouve le lièvre d'Amérique un peu partout au Canada et dans certaines régions du nord des États-Unis.

🐾 La femelle du lièvre est une hase. Les bébés sont des levrauts.

🐾 Les pattes postérieures du lièvre d'Amérique sont plus longues que ses pattes antérieures. Il ressemble un peu à une voiture de course, bas en avant et surélevé en arrière.

🐾 Le territoire d'un lièvre d'Amérique couvre de 1,6 à 4,8 hectares, soit l'équivalent de 3 à 10 terrains de football. (Plus la nourriture est abondante, plus le territoire est restreint.) Bien qu'il passe le plus clair de son temps en solitaire, il lui arrive de croiser un de ses congénères puisque, bien souvent, les territoires se recoupent!

🐾 Le lièvre d'Amérique trace des pistes sur tout son territoire. Ces pistes mènent d'un endroit découvert à un endroit plus abrité. Il utilise ces pistes pour échapper à ses prédateurs. Il est également bon nageur et n'hésitera pas à se jeter à l'eau s'il est en danger!

🐾 La fourrure blanche du lièvre d'Amérique est 27 % plus isolante que sa fourrure brune d'été.

🐾 La femelle peut avoir jusqu'à quatre portées par saison, si les conditions environnementales sont propices. Une portée peut compter jusqu'à huit bébés, ou levrauts, mais une femelle aura habituellement de deux à quatre petits par portée.

🐾 Le lièvre d'Amérique préfère l'obscurité et est actif au crépuscule, durant la nuit, à l'aube et lorsque le temps est nuageux! Pendant la journée, il en profite pour faire sa toilette, et fait aussi la sieste.

🐾 C'est la lumière qui détermine le moment où le lièvre doit changer de fourrure, le moment de la « mue ». À mesure que les journées raccourcissent, la fourrure brune est peu à peu remplacée par une fourrure blanche. Lorsque les journées allongent, la fourrure d'hiver est remplacée par un pelage d'été brun roux. La mue prend de 70 à 75 jours. Le changement de couleur permet au lièvre de mieux se camoufler.